CHEF, LA RECETTE !

Cyril Lignac

avec la collaboration de **Philips**

HACHETTE
Pratique

M6 EDITIONS

CHEF, LES PLATS !

CHEF, LES DESSERTS !

VU À LA TÉLÉ !

Moi aussi ça me fait rire quand j'entends ça, pourtant je peux vous dire que je prends mon rôle de professeur très au sérieux et quand je fais des cours de cuisine à la télévision, tout est préparé soigneusement.

Vous avez aimé l'émission ? Vous allez adorer le livre ! Mais que vous ayez ou non suivi les épisodes de ***Chef, la recette !*** si vous êtes archi-débutant, ce livre est fait pour vous ! Si vous avez vu l'émission, vous allez retrouver toutes les recettes, la liste des ingrédients, les étapes de la préparation, les tours de main, les temps de cuisson et tous mes petits conseils. Si vous ne l'avez pas vue, vous allez découvrir des recettes super faciles à faire chez vous, sans stress, et à partager avec vos amis et vos proches.

C'est bien simple : la plupart des participants à l'émission ne connaissant absolument rien en cuisine, j'ai pris le temps de les familiariser avec les ingrédients et de leur expliquer pas à pas comment réussir chacune de ces recettes. Du salé, du sucré, du poisson, de la viande... il y en a pour tous les goûts. Avec les bons produits et en suivant la leçon filmée, tous les plats sont faciles à réussir. Chaque étape est accompagnée d'une photo qui illustre les gestes à faire. Il suffit juste de vous laisser guider !

En bas de chaque page, vous verrez également mes petits conseils souvent adaptables à d'autres recettes ou à d'autres ingrédients de la même famille. Prenez votre temps, amusez-vous à faire votre marché, réunissez vos ingrédients, relevez vos manches et suivez le guide !
À vous de jouer !

Cyril Lignac.

TS - LES PLATS - LES PLATS - LES PLAT

CHEF, LES PLATS !

BROCHETTES DE BŒUF,
TOMATES CONFITES, COURGETTES POÊLÉES À L'HUILE DE VANILLE

PRÉPARATION 15 MINUTES

Pour **4 personnes** | Coût : € € Difficulté : ★

Ingrédients

Brochettes :

600 g de viande de bœuf tendre (filet ou autre choix) pour faire 8 brochettes
16 pétales de tomate confite

Courgettes poêlées :

2 grosses courgettes
6 cuil. à soupe d'huile d'olive
2 gousses de vanille
Beurre pour la poêle
Sel, poivre du moulin

Matériel

4 piques à brochettes

CHOISIR LES BONS PRODUITS

→ Choisissez une viande de bœuf bien rouge et persillée (taches blanches de gras qui marbrent l'intérieur).
→ Vous pouvez remplacer le filet par du rumsteck ou une autre partie du bœuf.
→ Les courgettes doivent être fermes et lourdes.

1 Taillez la viande en cubes d'environ 3 cm de côté et piquez-les sur les brochettes en alternant avec les pétales de tomate confite. Comptez 2 brochettes par personne.

LES CONSEILS DE CYRIL

→ L'épaisseur des cubes de bœuf dépend du degré de cuisson que vous souhaitez : si vous aimez la viande saignante, préférez de gros cubes. Si vous l'aimez à point, taillez-les plus petits...

2 Ôtez les extrémités des courgettes. Coupez-les en quatre dans la longueur...

3 ...puis en lamelles de 1 cm. Coupez ces lamelles en dés de 1 cm de côté. Réservez-les.

4 Coupez les deux extrémités des gousses de vanille et incisez-les délicatement dans la longueur.

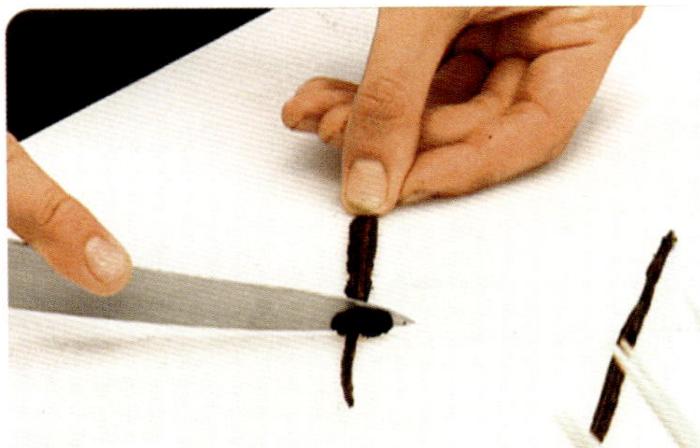

5 Raclez l'intérieur des gousses de vanille avec la lame d'un couteau pour en récupérer les graines.

LES CONSEILS DE CYRIL

Vous pouvez remplacer les tomates confites par des oignons nouveaux ou d'autres légumes confits, l'essentiel étant de parfumer la viande.

Faites des cubes de courgette réguliers pour qu'ils cuisent de manière homogène.

6 Mélangez bien les graines de vanille avec 2-3 cuil. à soupe d'huile d'olive. Salez et poivrez.

7 Faites revenir les courgettes à feu vif 2-3 min avec 1 ou 2 cuil. à soupe d'huile de vanille.

8 Salez, poivrez et laissez cuire les courgettes à feux doux. Gardez le feu vif pour les brochettes.

9 Faites cuire les brochettes préalablement salées et poivrées dans de l'huile d'olive et du beurre.

LES CONSEILS DE CYRIL

→ *Bien entendu, vous pouvez aussi faire cuire ces brochettes au barbecue.*

→ *Mélanger l'huile au beurre évite au beurre de cuire et de brûler sans pour autant l'empêcher de colorer et parfumer les brochettes.*

10 Pendant la cuisson, arrosez régulièrement la viande du mélange huile-beurre avec une cuillère de manière à la colorer. Saisissez-la bien d'un côté avant de la retourner.

LES CONSEILS DE CYRIL

→ Selon la cuisson que vous désirez pour la viande, comptez de 2 à 4 min sur chaque face. → Faites un peu chauffer les assiettes de service au four avant de servir. → Décorez votre plat d'une gousse de vanille coupée en deux.

DAURADE EN CROÛTE
DE CRUMBLE DE PAIN AU CITRON ET PURÉE DE CAROTTES AU CURCUMA

Préparation 40 minutes

Pour **4 personnes** | Coût : € € | Difficulté : ★

Ingrédients

Daurade et crumble :

4 filets de daurade de 120 à 150 g
100 g de chapelure
100 g de beurre mou
100 g de farine
50 g de poudre de noisettes
2 citrons
2 cuil. à soupe d'huile d'olive
1 bouquet de romarin
Sel, poivre du moulin

Purée :

4 carottes
1 cuil. à café de curcuma
40 g de beurre
Crème liquide
Gros sel

CHOISIR LES BONS PRODUITS

→ On reconnaît un poisson frais à sa chair ferme, ses écailles brillantes et ses ouïes bien rouges.

→ Vous pouvez demander à votre poissonnier de préparer les filets. S'ils le sont déjà, ils doivent être brillants, légèrement transparents et rosés.

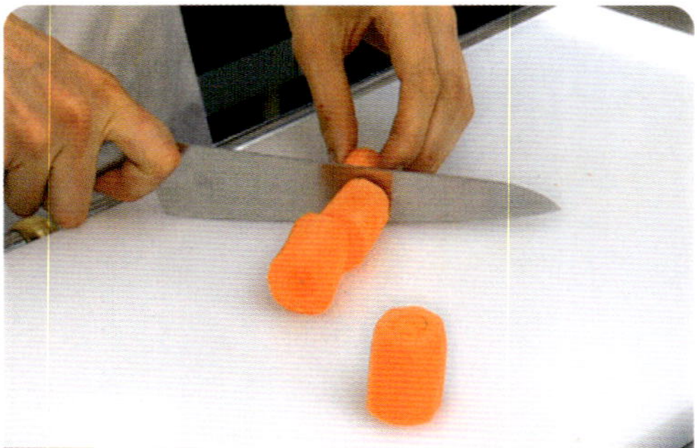

1 Préparez la purée : épluchez les carottes et coupez-les en morceaux de 3-4 cm.

2 Plongez les carottes dans de l'eau bouillante salée et laissez-les cuire jusqu'à ce qu'elles soient tendres.

3 Préparez le crumble : dans un saladier, versez le beurre, la chapelure, la farine et la poudre de noisettes.

4 Commencez à mélanger les ingrédients avec une cuillère.

LES CONSEILS DE CYRIL

→ *Pensez à laisser le beurre hors du réfrigérateur de manière à ce qu'il prenne la température ambiante et qu'il soit facile à mélanger.*

5 Frottez la préparation entre les mains pour lui donner une consistance sableuse.

6 Ajoutez les zestes de 2 citrons (râpez leur peau au-dessus de la préparation).

7 Préchauffez le four entre 150 °C et 170 °C (th. 5-6) et versez un peu d'huile d'olive sur la plaque du four.

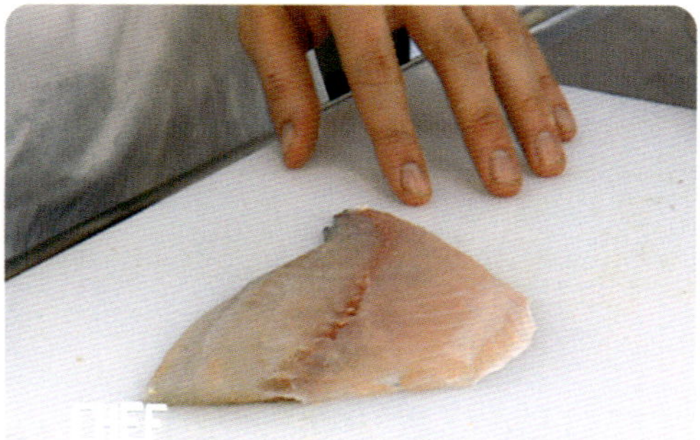

8 Salez, poivrez et huilez légèrement le côté chair de chaque filet.

LES CONSEILS DE CYRIL

→ *Les citrons étant souvent traités, rincez-les toujours avant de les râper.*

9 Pour la cuisson, posez les filets côté chair sur la plaque du four (la peau vers le haut).

LES CONSEILS DE CYRIL

→ *Le fait de placer la peau vers le haut va protéger le poisson durant la cuisson. Son eau ne va pas s'évaporer, elle va rester entre sa chair et sa peau.*

10 Faites cuire les filets au four pendant environ 10 min.

11 Vérifiez la cuisson des carottes avec la lame d'un couteau. Sortez-les lorsqu'elles sont tendres.

12 Mixez les carottes avec le beurre et le curcuma. Ajoutez un peu de crème si la purée est trop sèche.

13 Vérifiez la cuisson du poisson. Lorsqu'il est cuit, sa peau doit pouvoir se retirer toute seule.

LES CONSEILS DE CYRIL

→ Testez la cuisson du poisson en le piquant avec un cure-dent (une fourchette risque de l'abîmer). S'il pénètre sans difficulté, le poisson est cuit.

→ Plus le poisson cuit doucement, moins il sèche et plus il est moelleux.

14 Après avoir retiré la peau du poisson, recouvrez-le d'une croûte régulière de crumble.

15 Rectifiez l'assaisonnement de la purée maintenue au chaud.

16 Passez le poisson au four 30 secondes (jusqu'à ce qu'il prenne une légère couleur noisette).

17 Déposez le poisson dans une assiette avec 3 cuil. à soupe de purée.

LES CONSEILS DE CYRIL

→ *Sur la plaque du four, vous pouvez faire cuire tous les poissons à chair blanche : la daurade, le Saint-Pierre, le cabillaud...*

18 Disposez un peu de poudre de noisettes tout autour du poisson, un brin de romarin pour décorer la purée et un filet d'huile d'olive sur le tout.

LES CONSEILS DE CYRIL

→ Mettez la purée délicatement dans l'assiette, sans faire de tache, en déposant les cuillerées les unes sur les autres.

GALETTES DE POMMES DE TERRE AU LAGUIOLE

PRÉPARATION 30 MINUTES

Pour 4 personnes | Coût : € | Difficulté : ★★

Ingrédients

350 g de pommes de terre à purée (bintje)
140 g de laguiole
60 g de gruyère râpé
70 g de farine
4 œufs
80 g de crème liquide
Huile d'olive (pour la poêle)
Sel, poivre du moulin

Pour décorer :
Un peu de mâche
Huile d'olive
Le jus de 1 citron
Sel, poivre du moulin

CHOISIR LES BONS PRODUITS

→ Vous pouvez remplacer le laguiole par du cantal, du beaufort ou tout autre fromage à pâte pressée cuite.

→ Ne remplacez pas le gruyère qui permet de donner un aspect « lisse » et fondant.

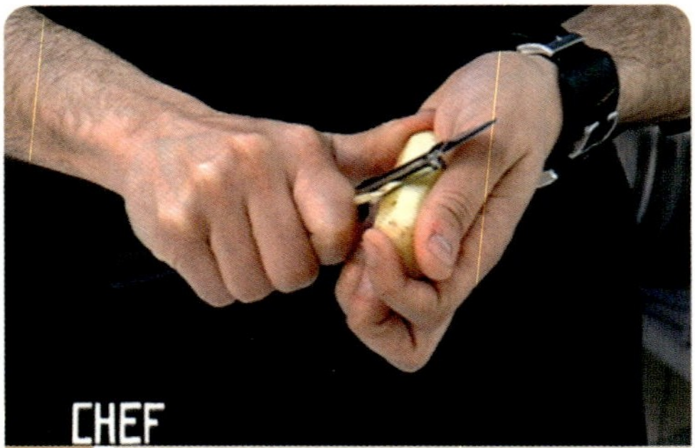

1 Épluchez les pommes de terre et faites-les cuire dans de l'eau bouillante salée.

2 Coupez le laguiole en lamelles de 1/2 cm. Recoupez-les en deux, puis en dés réguliers.

3 Passez les pommes de terre au presse-purée ou écrasez-les avec une fourchette.

4 Mélangez la purée encore chaude avec le gruyère râpé et le laguiole qui doivent fondre.

LES CONSEILS DE CYRIL

→ *Commencez la cuisson des pommes de terres dans un grand volume d'eau froide avec une poignée de gros sel.*

→ *Piquez les pommes de terre avec un couteau pour en vérifier la cuisson.*

5 Ajoutez les œufs battus et mélangez à l'aide d'une spatule pour lier le tout.

6 Rectifiez l'assaisonnement.

7 Incorporez la farine, mélangez et enfin, ajoutez la crème.

8 Rectifiez l'assaisonnement et laissez reposer la pâte obtenue 1 h au réfrigérateur.

LES CONSEILS DE CYRIL

→ Le fromage doit être coupé en dés réguliers afin que les morceaux fondent en même temps.

→ Il n'est pas nécessaire de casser les œufs sur le rebord d'un saladier ! On risque d'y faire tomber des petits bouts de coquille... Cassez-les à plat, sur le plan de travail.

9 Faites chauffer l'huile d'olive dans une poêle antiadhésive.

10 Prenez 1 cuil. à soupe du mélange et faites-le glisser délicatement dans la poêle (à feu moyen).

11 Procédez ainsi jusqu'à épuisement de la pâte. Aplatissez un peu les galettes à l'aide d'une spatule.

12 Retournez les galettes régulièrement pour les faire dorer des deux côtés.

LES CONSEILS DE CYRIL

→ *La pâte est mise au réfrigérateur afin qu'elle soit plus facile à déposer dans la poêle et que, lors de la cuisson, les galettes s'affaissent doucement.*

13 Dressez les assiettes en déposant sur les galettes un peu de mâche préalablement assaisonnée d'huile d'olive et d'un peu de citron.

LES CONSEILS DE CYRIL

- *Quand les galettes sont prêtes à être retournées, elles se décollent facilement de la poêle.*
- *Cette recette peut aussi servir d'accompagnement aux steaks hachés (p. 56).*

LASAGNES AUX AUBERGINES ET POÊLÉE DE VOLAILLE AUX HERBES

PRÉPARATION 45 MINUTES

Pour 4 personnes | Coût : € | Difficulté : ☆

Ingrédients

3 ou 6 feuilles de lasagne (selon la taille du ou des plats à gratin)
4 filets de poulet
4 aubergines
1 oignon
4 branches de romarin
50 g de cerneaux de noix
100 g de parmesan
Huile d'olive
Sel, poivre du moulin

CHOISIR LES BONS PRODUITS

→ Vous pouvez utiliser des lasagnes fraîches mais les sèches sont plus faciles à trouver dans le commerce. → Les bouteilles opaques qui protègent l'huile du soleil sont un gage de qualité. → Une belle aubergine est brillante et pique un peu au niveau de la queue (signe de fraîcheur).

1 Plongez les feuilles de lasagne dans un grand volume d'eau salée.

2 Salez et poivrez le poulet. Faites-le cuire dans une poêle à feu vif puis plus doux.

3 Coupez les aubergines en petits dés en gardant la peau.

4 Ciselez l'oignon : coupez-le en deux, dans un sens puis dans l'autre.

LES CONSEILS DE CYRIL

→ Suivez le temps de cuisson indiqué sur l'emballage des lasagnes. → Mettez de l'huile dans l'eau de cuisson des pâtes pour leur éviter de coller. → Plongez les feuilles de lasagne une par une dans l'eau bouillante pour qu'elles n'adhèrent pas entre elles.

5 Faites revenir l'oignon dans la même poêle que le poulet.

6 Ajoutez les branches de romarin et un peu d'huile d'olive.

7 Avant que l'oignon ne colore, incorporez les dés d'aubergine. Salez, poivrez et ajoutez un peu d'huile.

8 Laissez compoter doucement en remuant de temps en temps. Ajoutez ensuite les noix hachées.

LES CONSEILS DE CYRIL

→ *Le fait de garder la peau de l'aubergine permet d'ajouter un peu d'amertume au goût.*

9 Quand les feuilles de lasagne sont cuites, plongez-les dans l'eau froide et posez-les sur un linge.

10 Retournez-les pour les égoutter des deux côtés.

11 Coupez le poulet en petits dés et râpez le parmesan. Préchauffez le four à 180 °C (th. 6).

12 Découpez les feuilles selon la taille du plat. Dans un plat à gratin, étalez en couches successives...

LES CONSEILS DE CYRIL

→ *Ne faites pas trop cuire le poulet car sa cuisson va se poursuivre dans les lasagnes.*

13 … les 3/4 des aubergines, une feuille de lasagne, le poulet avec le reste des aubergines, une nouvelle feuille de lasagne. Saupoudrez de parmesan râpé et faites gratiner environ 5 min.

LES CONSEILS DE CYRIL

→ Il est possible de faire des lasagnes aux tomates sans précuire les feuilles et en les mettant sèches sur les tomates chaudes, directement au four. → Vous pouvez remplacer le parmesan gratiné par une crème de parmesan (faire réduire la crème avec le fromage et tartiner dessus).

MAGRETS DE CANARD ET WOK DE LÉGUMES NOUVEAUX

PRÉPARATION 40 MINUTES

Pour **4 personnes** | Coût : € | Difficulté : ☆

Ingrédients

Magrets :

2 magrets de 400 g
Sauce soja
Sel, poivre

Légumes du marché :

8 petits navets avec leurs fanes
100 g de fèves / 100 g de petits pois frais
2 carottes nouvelles avec leurs fanes
2 poireaux
6 petits oignons blancs nouveaux
100 g de haricots verts équeutés
2 brocolis
2 cuil. à soupe d'huile d'olive
Coriandre, sel et poivre

CHOISIR LES BONS PRODUITS

→ Ouvrez les fèves et les petits pois pour contrôler leur qualité. Ne vous fiez pas à leur aspect extérieur. → Choisissez des légumes jeunes, ils seront plus savoureux et plus tendres. → Les magrets de canard proviennent de canards engraissés, les filets sont issus de canards maigres.

1 Écossez les petits pois et les fèves. Équeutez les haricots. Épluchez l'oignon.

2 Rincez l'oignon et coupez-le en deux, en quatre puis en huit.

3 Enlevez la première et la seconde peau du navet et coupez-le en morceaux.

4 Épluchez la carotte et coupez-la en deux puis encore en deux dans le sens de la longueur.

LES CONSEILS DE CYRIL

- *Si l'oignon est jeune, vous pouvez garder quelques centimètres de sa fane qui a beaucoup de saveur.*
- *La seconde peau du navet est celle qui lui donne son amertume.*

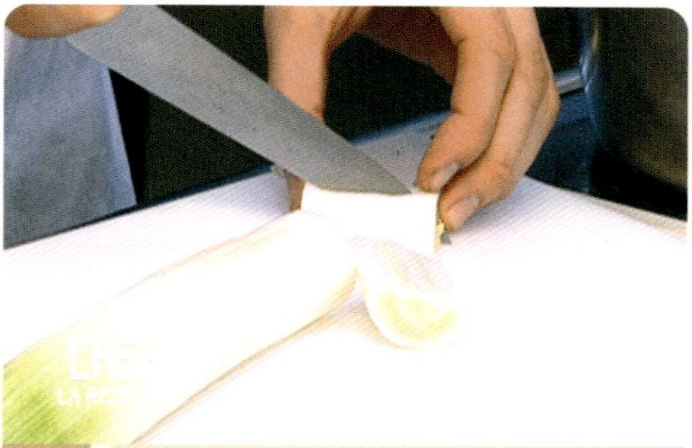

5 Coupez le cœur du poireau en plusieurs tronçons que vous couperez à nouveau en deux puis en quatre.

6 Faites cuire les légumes séparément dans un grand volume d'eau bouillante salée : les petits pois...

7 ... pendant 1 min, fèves, haricots et brocolis 2 min puis les autres légumes ensemble pendant 3min.

8 En sortant les légumes de leur eau de cuisson, plongez-les immédiatement dans de l'eau glacée.

LES CONSEILS DE CYRIL

→ Pour donner plus de couleurs à votre plat, vous pouvez laisser un peu de vert au bout de la carotte.
→ On refroidit les légumes dans de l'eau glacée pour fixer la chlorophylle et conserver les arômes des légumes.

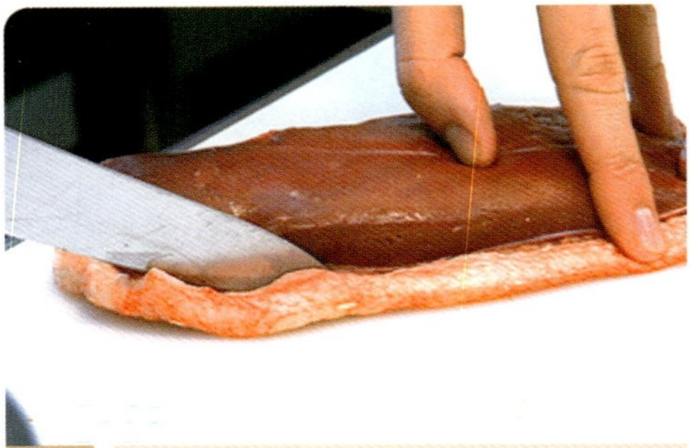

9 Décollez avec le doigt le surplus de gras tout autour du magret et découpez-le.

10 Retirez le nerf central. Incisez la peau en la quadrillant. Salez et poivrez les deux côtés du magret.

11 Saisissez le magret côté peau dans la poêle chaude pendant 4 min et arrosez-le côté chair avec le gras.

12 Baissez le feu et retournez le magret côté chair pendant 2 min. Continuez à arroser.

LES CONSEILS DE CYRIL

→ Vous pouvez remplacer les magrets de canard par des filets mais la viande sera un peu moins tendre et moins parfumée car moins irriguée par la graisse.

→ Inciser la peau permet à la graisse de fondre correctement et de mieux cuire la viande.

13 Tranchez le magret encore cru en deux et les deux parties obtenues en lamelles.

14 Dans le wok, faites revenir les légumes 2-3 min dans la graisse de cuisson du magret.

15 Incorporez la viande et faites-la cuire à votre convenance. Ajoutez 4 cuil. à soupe de sauce soja.

16 Ajoutez enfin quelques feuilles de coriandre ciselées, un filet d'huile d'olive et un peu de poivre.

LES CONSEILS DE CYRIL

···› Pensez toujours à assaisonner la viande avant de la cuire. ···› Le magret est meilleur lorsqu'il est rosé.
···› Ne salez pas le plat, la sauce soja l'est suffisamment.
···› Servez tant que c'est chaud, le canard n'aime pas attendre...

RISOTTO AUX ASPERGES ET AUX ÉCLATS DE NOISETTES

PRÉPARATION 40 MINUTES

Pour 4 personnes | Coût : € | Difficulté : ✪ ✪ ✪

Ingrédients

12 grosses asperges fraîches
200 g de riz italien pour risotto
1 oignon
Huile d'olive
10 cl de vin blanc
1 bouillon cube de volaille
Quelques noisettes
2 morceaux de parmesan (30 g environ)
1 cuil. à soupe de mascarpone
60 g de parmesan
Beurre
Crème liquide
Poivre du moulin

CHOISIR LES BONS PRODUITS

→ Si possible, prenez des noisettes du Piémont qui sont de bonne qualité. → Le riz Arborio est un riz long et le Carbori un riz court et plus gros qui convient parfaitement au risotto. → Prenez du parmesan à la coupe (Reggiano). → On peut remplacer les asperges par un autre légume.

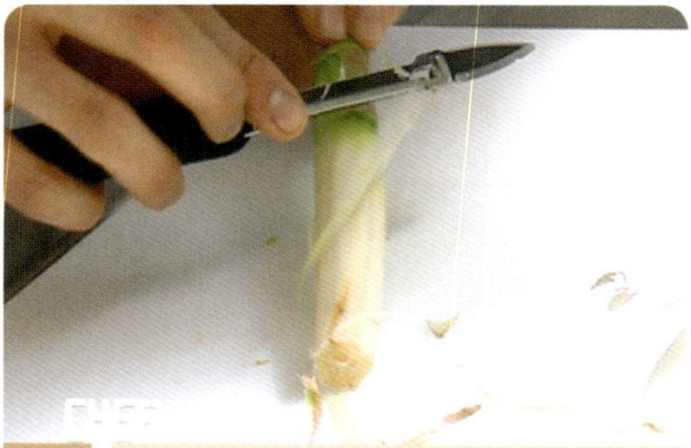

1 Épluchez les queues des asperges avec un économe.

2 Liez solidement les asperges avec de la ficelle (sans trop serrer) pour former de petites bottes.

3 Plongez ensuite les asperges 10 min dans un grand volume d'eau bouillante salée.

4 Dans une casserole, commencez à faire fondre un bouillon cube de volaille avec de l'eau.

LES CONSEILS DE CYRIL

→ Plonger les légumes verts dans l'eau froide leur permet de conserver leurs belles couleurs.

→ Piquez les asperges pour vérifier leur cuisson. Elles doivent être croquantes et fondantes.

5 Émincez l'oignon en le coupant en deux puis en fines lamelles (ou coupez-le en petits dés).

6 Écrasez les noisettes avec le plat de la lame d'un couteau et recoupez-les en plus petits morceaux.

7 Avec un économe, coupez quelques copeaux de parmesan (pour la décoration) et râpez le reste.

8 Stoppez la cuisson des asperges en les plongeant dans de l'eau froide. Égouttez-les.

LES CONSEILS DE CYRIL

Les noisettes vont parfumer le riz et lui donner un côté croquant.

Les copeaux de parmesan cru sur le risotto permettent de relever la saveur du parmesan cuit.

9 Faites cuire doucement les oignons sans qu'ils ne colorent, 1 à 2 min, dans un peu d'huile d'olive.

10 Versez les grains de riz directement dans la casserole avec l'huile et les oignons. Mélangez bien.

11 Le riz va crépiter. Ajoutez un filet d'huile d'olive si besoin et le vin blanc. Laissez mijoter doucement.

12 Incorporez une peu de bouillon de poule. Le riz va commencer à gonfler, le bouillon s'évapore.

LES CONSEILS DE CYRIL

→ *Nacrer le riz consiste à faire éclater les grains dans l'huile avant qu'ils ne gonflent au moment de l'incorporation du bouillon.*

13 Continuez à arroser le riz de bouillon de poule dès que celui-ci s'évapore.

14 Coupez les têtes d'asperges (toute la partie verte). Réservez-les.

15 Coupez les queues des asperges en rondelles. Laissez le bout des queues s'il est trop dur.

16 Alors que le riz reste légèrement croquant, ajoutez 1 cuil. à soupe de beurre et mélangez.

LES CONSEILS DE CYRIL

→ Laissez le bouillon s'évaporer et rajoutez-en progressivement (mouillez le riz). Quand le riz sera cuit, il ne devra pas rester de bouillon.

17 Ajoutez le parmesan râpé et baissez le feu. Le risotto doit devenir crémeux, onctueux.

18 Incorporez le mascarpone. Rectifiez l'assaisonnement. Ajoutez les asperges et les noisettes.

19 Ajoutez un peu de crème pour détendre le risotto s'il s'épaissit trop.

20 Faites revenir les têtes d'asperges dans du beurre et enrobez-les de parmesan râpé.

LES CONSEILS DE CYRIL

→ *Ne salez pas les têtes d'asperges, le parmesan va les assaisonner.*

21 Disposez sur le risotto les têtes d'asperges, les copeaux de parmesan et un filet d'huile d'olive. Parsemez le contour de l'assiette d'un peu de noisettes.

LES CONSEILS DE CYRIL

→ *Le risotto n'attend pas, autrement, il va épaissir… Dès qu'il est terminé, servez-le !*

SAUMON GRILLÉ, MANGUE ET AUBERGINE AUX NOISETTES ÉCLATÉES

Préparation 25 minutes

Pour 4 personnes | Coût : € € | Difficulté : ★

Ingrédients

Saumon :

4 pavés de saumon de 150 g environ
1 aubergine
1 mangue bien mûre
Huile d'olive (pour dorer les légumes)
20 g de noisettes concassées
12 tomates cerises
40 g de roquette

Vinaigrette :

1 boule de mozzarella de bufflonne
1/2 botte de coriandre
4 cuil. à soupe d'huile d'olive
Le jus de 1 citron
Sel, poivre du moulin

CHOISIR LES BONS PRODUITS

→ Le poisson frais a les yeux brillants et les ouïes bien rouges. → Les aubergines doivent être d'un joli noir, les mangues avoir un début de coloration rouge, être souples et fermes. → La mozzarella doit être faite avec 100 % de lait de buffle.

1 Coupez les extrémités de l'aubergine puis épluchez-la.

2 Taillez-la ensuite en cubes de 1 cm environ.

3 Faites dorer les dés d'aubergine pendant 5 min environ à la poêle dans un peu d'huile d'olive.

4 Épluchez la mangue puis coupez-la en petits dés.

LES CONSEILS DE CYRIL

→ L'aubergine absorbe le gras. Mettez donc suffisamment d'huile pour qu'elle puisse dorer, mais pas trop pour qu'elle ne l'absorbe pas. → Appliquez-vous à découper les fruits et les légumes régulièrement. La cuisson se fait mieux et ils seront plus agréables à manger.

5 Assaisonnez les aubergines et ajoutez la mangue dans la poêle.

6 Ajoutez les noisettes concassées, baissez le feu et laissez compoter.

7 Faites chauffer une poêle avec de l'huile. Salez et poivrez le poisson.

8 Posez le poisson côté peau dans la poêle en maintenant vos doigts appuyés dessus.

LES CONSEILS DE CYRIL

→ Quand les aubergines sont cuites, elles se colorent et deviennent translucides.

→ Appuyer sur le poisson dans la poêle évite qu'il ne se rétracte et permet de mieux le saisir.

9 Quand la peau est croustillante (après 1 min environ), retournez le saumon et baissez le feu.

10 Tournez-le ensuite pour le faire cuire sur les côtés latéraux.

11 Continuez à tourner le saumon durant sa cuisson pour le colorer légèrement de tous les côtés.

12 Préparez la vinaigrette : coupez la mozzarella en cubes et mettez-la dans un saladier avec...

LES CONSEILS DE CYRIL

→ *Soignez la cuisson du saumon. Il doit être coloré mais doit rester bien rosé à cœur et moelleux.*

13 ... le jus de 1 citron, 4 cuil. à soupe d'huile d'olive, la coriandre ciselée, le sel et le poivre.

14 Piquez trois tomates sur des piques en bois. Faites-les revenir dans le jus de cuisson du poisson.

15 Dans une assiette, déposez le pavé de saumon sur les légumes.

16 Piquez la brochette de tomates sur le poisson. Versez la vinaigrette de mozzarella tout autour.

LES CONSEILS DE CYRIL

- *Servez sans attendre car ce plat refroidit vite !*
- *Vous pouvez accompagner le pavé de saumon d'un peu de salade (roquette).*

STEAKS HACHÉS, OIGNONS, CUMIN, PAPRIKA

PRÉPARATION 10 MINUTES

Pour **4 personnes** | Coût : € | Difficulté : ★

Ingrédients

Steaks :

4 steaks hachés de 200 g chacun
2 oignons
1 bouquet de persil
2 cuil. à café de cumin en poudre
2 cuil. à café rase de paprika
2 cuil. à soupe d'huile d'olive
Crème liquide
Sel, poivre du moulin

Salade :

1 salade de mâche
Huile d'olive
1 citron pressé
Sel, poivre

CHOISIR LES BONS PRODUITS

→ La viande hachée ne se conserve pas. Si vous l'achetez chez votre boucher, celui-ci doit la hacher devant vous et vous devez la consommer dans les 12 heures qui suivent son achat.

1 Ciselez l'oignon. Pour cela, taillez-le verticalement en lamelles...

2 ... puis horizontalement et terminez en le coupant en petits cubes réguliers.

3 Coupez l'autre oignon en fines lamelles. Il sera utilisé pour la sauce.

4 Taillez le persil grossièrement afin qu'il dégage toute sa saveur au moment de la cuisson.

LES CONSEILS DE CYRIL

→ En épluchant l'oignon, vous pouvez retirer la première pellicule de peau qui est celle qui fait pleurer quand on la coupe... → Pour ciseler l'oignon ou le couper en petits cubes, attaquez par la pointe de la lame du couteau posée sur le plan de travail.

5 Dans un saladier, mélangez les steaks hachés, l'oignon ciselé et le persil à l'aide d'une fourchette.

6 Ajoutez 1 cuil. à soupe d'huile d'olive, le paprika, le cumin, le sel et le poivre.

7 Mélangez à nouveau les ingrédients à la viande et divisez le mélange en deux parties égales.

8 Reconstituez les steaks hachés avec les mains.

LES CONSEILS DE CYRIL

→ Ne tassez pas trop le steak haché. Il sera plus aéré et cela permettra au jus de couler.

9 Faites chauffer une poêle antiadhésive avec de l'huile d'olive et mettez-y les steaks.

10 Saisissez les steaks et faites-les cuire à votre goût.

11 Retournez le steak avec une spatule et rassemblez la viande qui se dissocie.

12 Préparez une salade de mâche avec le jus de citron, un peu d'huile d'olive, du sel et du poivre.

LES CONSEILS DE CYRIL

→ Vous pouvez manger ce steak comme un tartare. Pour cela, contentez-vous de le saisir dans la poêle des deux côtés de manière à ce que l'intérieur du steak reste froid.

13 Retirez le steak de la poêle et déposez-le dans une assiette de service.

14 Caramélisez l'oignon émincé dans la poêle du steak (sans la laver) et en ajoutant un petit peu d'huile.

15 Versez un peu de crème fraîche liquide pour déglacer les sucs de viande.

16 Répandez cette sauce sur les steaks et servez avec la salade de mâche.

LES CONSEILS DE CYRIL

→ *Vous pouvez accompagner les steaks des galettes de pommes de terre au laguiole (p. 24).*

TARTARE DE THON AUX AGRUMES

PRÉPARATION 25 MINUTES

Pour 4 personnes | Coût : € | Difficulté : ✪✪

Ingrédients

Tartare :

600 g de thon rouge
2 pamplemousses
4 oranges
2 citrons
Le 1/4 d'une botte d'aneth
Le 1/4 d'une botte de ciboulette
1 oignon nouveau

Salade et vinaigrette :

100 g de mesclun (ou une autre salade de votre choix)
2 oignons nouveaux
6 cuil. à soupe d'huile d'olive
2 cuil. à café de vinaigre de Xérès
Sel, poivre du moulin

CHOISIR LES BONS PRODUITS

→ Le thon doit être brillant, bien rouge et la chair doit bien adhérer à l'arête.
→ Les oignons nouveaux doivent être brillants, fermes et la fane d'un joli vert.

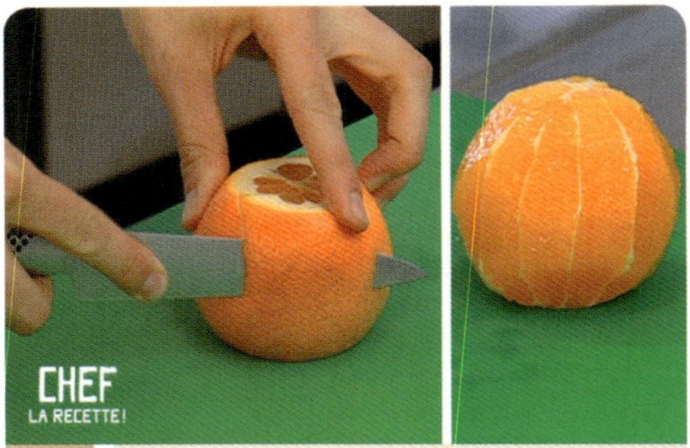

1 Pour peler les oranges à vif, coupez-les avec un couteau le long de la peau.

2 Incisez-les le long des membranes blanches jusqu'au cœur et récupérez les segments d'oranges.

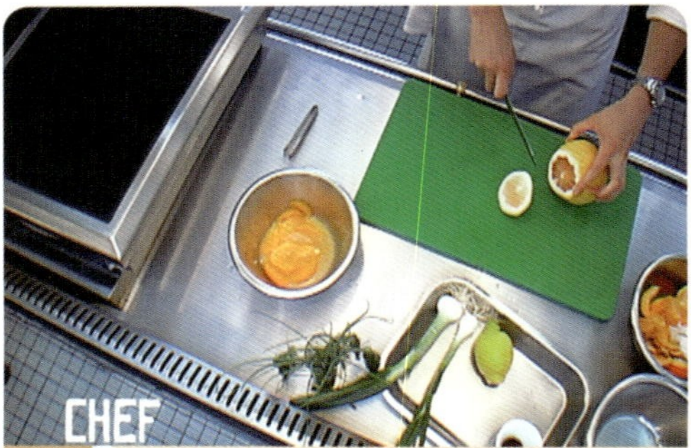

3 Pressez ce qui reste des oranges (gardez le jus). Découpez les pamplemousses comme les oranges.

4 Découpez les segments de pamplemousses et d'oranges en petits dés. Réservez.

LES CONSEILS DE CYRIL

→ N'appuyez pas sur les segments lorsque vous les découpez en dés afin qu'ils ne perdent pas leur jus et que le fruit conserve sa fermeté.

5 Ciselez les oignons, la ciboulette, l'aneth et réservez le tout dans un autre saladier.

6 Ôtez l'arête du thon, la peau et les parties noires près du cartilage.

7 Coupez le thon en tranches puis en lamelles et enfin en petits dés.

8 Pressez les 2 citrons. Laissez ensuite mariner le thon dans leur jus.

LES CONSEILS DE CYRIL

→ *Pour presser un citron facilement, plantez-y une fourchette et tournez-la tout en appuyant !*

9 Préparez la vinaigrette : mélangez le vinaigre de Xérès avec le sel, le poivre, et l'huile d'olive.

10 Émincez l'oignon et incorporez-le dans la salade avec la vinaigrette. Salez, poivrez.

11 Mélangez les dés de thon à la préparation oignon-aneth-ciboulette.

12 Ajoutez les agrumes et mélangez de nouveau (gardez-en un peu pour la décoration). Assaisonnez.

LES CONSEILS DE CYRIL

→ Le tartare ne se prépare pas la veille et doit se manger le jour même.

13 Déposez le tartare au centre de l'assiette, la salade dessus et un peu des deux agrumes tout autour. Terminez en versant un filet d'huile d'olive et un peu du jus des agrumes.

LES CONSEILS DE CYRIL

→ Essayez de ne pas conserver le tartare plus de 1/2 heure au réfrigérateur avant de servir.

→ Pour que votre présentation soit plus jolie, appliquez-vous à donner du volume à la salade.

SSERTS - LES DESSERTS - LES DESSERTS

CHEF, LES DESSERTS !

BISCUIT COULANT AU CHOCOLAT
ET SON CARAMEL DE PASSION-MANGUE

PRÉPARATION 30 MINUTES

Pour 4 personnes | Coût : | Difficulté :

Ingrédients

Biscuit :

180 g de sucre
70 g de farine
140 g de chocolat noir
140 g de beurre mou + un peu de beurre pour les moules
6 œufs

Caramel de passion-mangue :

40 cl de coulis de passion-mangue (dans le commerce, rayon des surgelés)
140 g de sucre

CHOISIR LES BONS PRODUITS

Préférez un chocolat à forte teneur en cacao (70 %) mais si vous le souhaitez, vous pouvez utiliser un chocolat noir moins fort.

1 Laissez le beurre et le chocolat fondre au bain-marie (le saladier sur une casserole d'eau chaude).

2 Mélangez la farine et le sucre. Séparément, cassez trois œufs et battez-les en omelette.

3 Beurrez les moules avec le beurre ramolli et du papier absorbant si vous n'avez pas de pinceau.

4 À la spatule, incorporez les œufs au chocolat fondu, puis le mélange farine-sucre.

LES CONSEILS DE CYRIL

→ *Ne mélangez pas au fouet ou au batteur. En incorporant ainsi de l'air, les œufs vont monter et le chocolat blanchir.*

5 Versez le mélange dans les moules.
Laissez tiédir et réservez au réfrigérateur.

LES CONSEILS DE CYRIL

→ Quand le sucre va fondre, le chocolat va prendre un aspect lisse et brillant.

6 À feu vif, mélangez l'eau et le sucre dans une casserole, puis baissez le feu jusqu'à coloration.

7 Sortez le caramel doré du feu, incorporez le coulis passion-mangue et remuez. Réservez au frais.

8 Dans un four préchauffé à 180 °C (th. 6), faites cuire les biscuits pendant 5-7 min. Surveillez la cuisson.

9 Avec une fourchette, vérifiez que le biscuit est bien coulant au milieu. Démoulez délicatement.

LES CONSEILS DE CYRIL

→ Remuez au départ le caramel avec la cuillère mais n'y touchez plus jusqu'à ce qu'il prenne ! Vous pouvez remuer la casserole mais n'y plongez plus la cuillère car autrement, l'incorporation d'air va le faire se cristalliser.

10 Dans une casserole avec un peu d'eau, diluez le caramel qui s'est figé jusqu'à l'obtention d'un coulis. Versez le jus autour des biscuits et servez tant que le chocolat est encore fondant.

LES CONSEILS DE CYRIL

→ L'acidité du jus passion-mangue va contraster avec le chocolat.

→ Le biscuit va cuire doucement ce qui va permettre à l'intérieur de rester coulant.

CLAFOUTIS AUX CERISES ACCOMPAGNÉ DE SON COULIS

PRÉPARATION 30 MINUTES

Pour **4 personnes** | Coût : € | Difficulté : ★

Ingrédients

Clafoutis :

4 œufs
130 g de sucre
110 g de farine
70 g de beurre
4 cuil. à soupe d'eau
4 cuil. à soupe de kirsch
200 g de cerises
1/2 sachet de levure chimique

Coulis :

80 g de sucre
1 gousse de vanille
1 orange
100 g de cerises

CHOISIR LES BONS PRODUITS

→ Vous pouvez remplacer les cerises par d'autres fruits (pommes, poires...). Pour un clafoutis aux pommes, remplacez le kirsch par du calva.

1 Préchauffez le four à 180 °C (th. 6) et faites fondre le beurre (à la casserole ou au micro-ondes).

2 Mettez la farine dans un saladier avec deux œufs (légèrement battus) au centre.

3 Petit à petit, avec le fouet, tournez en ramenant la farine vers le centre pour éviter les grumeaux.

4 Fouettez et ajoutez le sucre, la levure, l'eau et le kirsch.

LES CONSEILS DE CYRIL

→ Pour rattraper les éventuels grumeaux, une seule solution : fouettez énergiquement !

→ Plus vous allez fouetter, plus la pâte sera légère. Le clafoutis gonflera mieux et sera plus léger en bouche.

5 Incorporez le beurre fondu et continuez à fouetter.

6 Beurrez bien vos moules individuels. Farinez-les et faites tomber l'excédent de farine.

7 Rincez les cerises puis dénoyautez-les à l'aide d'un couteau.

8 Versez la pâte dans chaque moule et déposez quelques cerises dedans.

LES CONSEILS DE CYRIL

→ Bien entendu, vous pouvez réaliser le clafoutis dans un plus grand moule.

→ Les noyaux des cerises donnent du goût mais ce clafoutis est plus agréable à manger sans les noyaux... Faites comme vous voulez !

9 Si besoin, complétez avec un peu de pâte mais arrêtez-vous avant le bord.

10 Faites cuire les clafoutis pendant 17 min au four à 180 °C (th. 6).

11 Préparez le coulis de cerises : faites bouillir 20 cl d'eau avec le sucre tout en remuant au fouet.

12 Ajoutez le zeste de l'orange et la gousse de vanille fendue en deux et les graines (technique p. 13).

LES CONSEILS DE CYRIL

→ Ne remplissez pas le moule à ras bord parce que les cerises vont augmenter le volume et que le clafoutis doit aussi pouvoir gonfler sans déborder.

13 Retirez du feu et laissez infuser le zeste d'orange et la vanille.

14 Mixez les cerises et gardez-en quelques-unes pour la décoration.

15 Retirez la gousse de vanille et ajoutez petit à petit le sirop aux cerises mixées. Réservez au frais.

16 Servez le clafoutis dans une assiette avec les cerises et le coulis autour.

LES CONSEILS DE CYRIL

Arrêtez d'incorporer du sirop aux cerises avant que le coulis ne devienne trop liquide. S'il épaissit trop au réfrigérateur, ajoutez-y quelques gouttes d'eau.

Piquez le clafoutis de la pointe du couteau pour en vérifier la cuisson (couteau propre = gâteau cuit).

CRÊPES À LA VANILLE, SALADE DE FRAISES AU JUS DE PASSION

Préparation 35 minutes

Pour **4 personnes** | Coût : € | Difficulté : ★

Ingrédients

Pâte à crêpes :

240 g de farine
50 g de sucre vanillé
1 orange
4 œufs entiers + 2 jaunes
80 cl de lait
1 pincée de sel
80g de beurre
Huile d'arachide (pour cuire les crêpes)

Salade de fraises :

2 barquettes de fraises
4 belles feuilles de basilic
4 fruits de la passion
1 mangue
2 cuil. à soupe de sucre semoule
Une bombe de crème Chantilly
Poivre noir du moulin

CHOISIR LES BONS PRODUITS

→ *Les mangues doivent avoir un début de coloration rouge, être souples et fermes.*
→ *Si vous choisissez des gariguettes, elles doivent être longues, fines et brillantes.*

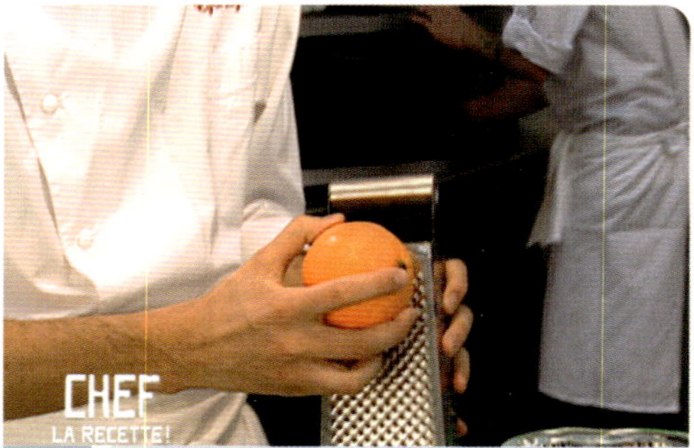

1 **Préparez la pâte à crêpes :** râpez le zeste d'une orange.

2 Dans un mixeur, versez la farine, le sucre vanillé, le zeste de l'orange…

3 … et enfin 4 œufs entiers et 2 jaunes d'œufs.

4 Mixez bien pour éviter les grumeaux.

LES CONSEILS DE CYRIL

→ Pour éviter les grumeaux, l'essentiel est de n'ajouter le lait qu'après avoir mixé les œufs avec la farine.

5 Ajoutez le lait petit à petit et mixez jusqu'à l'obtention d'une pâte lisse.

6 Faites fondre le beurre et incorporez-le à la pâte. Réservez la pâte au frais dans un saladier.

7 Préparez la salade de fraises : équeutez les fraises et coupez-les en deux.

8 Coupez les fruits de la passion en deux. Recueillez leur pulpe et ajoutez-la aux fraises.

LES CONSEILS DE CYRIL

- *Le fait d'ajouter du beurre dans la pâte va permettre à la crêpe de colorer quand elle va cuire.*
- *Couper les fraises permet au jus de passion de bien les imprégner.*

9 Ciselez le basilic finement à l'aide d'un grand couteau et versez-le dans le saladier.

10 Mélangez le contenu du saladier et laissez infuser.

11 Pelez et dénoyautez la mangue puis coupez-la grossièrement en cubes.

12 Versez les morceaux de mangue dans le mixeur.

LES CONSEILS DE CYRIL

→ *Le jus de passion a un goût un peu acidulé qui va rappeler la fraise. Le basilic va, quant à lui, donner un petit goût « frais ».*

13 Si le mélange est trop épais ou trop sec, versez un peu d'eau. Ajoutez le sucre semoule et mixez.

14 Versez ensuite le jus de mangue sur les fraises. Poivrez.

15 Faites chauffer un filet d'huile d'arachide dans une poêle en l'étalant avec du papier absorbant.

16 Commencez la cuisson à feu vif. Décollez les bords des crêpes et laissez-les se colorer.

LES CONSEILS DE CYRIL

---> *Le poivre va apporter un peu de « chaleur » et relever le goût de la fraise.*

17 Faites cuire les crêpes sur les deux faces et gardez-les dans une assiette sous du papier aluminium.

18 Versez un peu de salade de fraises dans chaque crêpe.

19 Ajoutez un peu de crème Chantilly en bombe sur les fraises.

20 Roulez les crêpes. Prévoyez deux crêpes par personne.

LES CONSEILS DE CYRIL

- *Si vous préparez la pâte à crêpes longtemps à l'avance, il est possible qu'elle durcisse un peu. Il vous faudra alors la détendre avec un peu de lait.*
- *Les crêpes se décollent toutes seules quand elles sont prêtes à être retournées.*

21 Présentez les deux crêpes roulées dans une assiette avec un peu de salade de fraises et de crème Chantilly à côté (et dessus pour les gourmands).

LES CONSEILS DE CYRIL

→ Remettez un peu d'huile entre chaque crêpe pour éviter qu'elles collent.

→ Sous le papier aluminium, les crêpes seront maintenues au chaud et la condensation va les rendre plus moelleuses.

MILK-SHAKE BANANE, FRAMBOISES ÉCRASÉES AU SUCRE

PRÉPARATION 20 MINUTES

Pour **4 personnes** | Coût : € | Difficulté : ☆

Ingrédients

1 barquette de framboises (gardez-en quelques-unes pour la déco)
2 bananes
2 cuil. à soupe de sucre
2 cuil. à soupe de glace vanille
4 cuil. à soupe de sorbet fraise
100 g de crème liquide
1 bombe de crème Chantilly
4 cl de lait (si besoin pour diluer le milk-shake)
Quelques feuilles de menthe (pour la décoration)

CHOISIR LES BONS PRODUITS

→ *Choisissez des bananes tigrées, pas trop vertes, elles auront plus de goût.*

1 Dans un saladier, écrasez à la fourchette les framboises avec le sucre jusqu'à l'obtention d'un coulis.

LES CONSEILS DE CYRIL

→ Les framboises amènent un côté acide qui va contraster avec les autres ingrédients.

→ En écrasant les framboises, le jus va sortir et faire fondre le sucre pour obtenir un coulis.

2 Épluchez les bananes et coupez-les en morceaux.

3 Mettez les morceaux de bananes dans un mixeur avec...

4 ... 1 cuil. à soupe de glace vanille et 2 cuil. à soupe de sorbet fraise.

5 Ajoutez la crème et mixez environ 40 secondes, le temps que la préparation monte un peu.

LES CONSEILS DE CYRIL

- *Bien entendu, vous pouvez préférer d'autres parfums de glace...*
- *Mixez juste le temps nécessaire, pas plus. Autrement, la glace va se réchauffer...*

6 Si le milk-shake est trop épais, diluez-le en ajoutant un peu de lait puis mixez à nouveau.

7 Déposez 2 cuil. à soupe de framboises au fond d'un verre évasé.

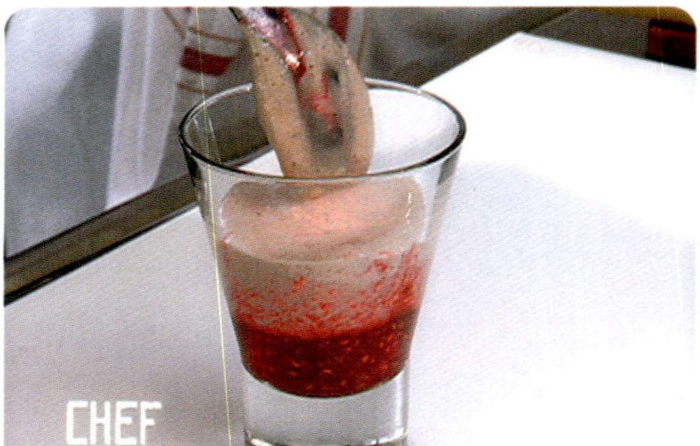

8 Ajoutez délicatement le milk-shake (sans salir les bords).

9 Terminez par une couche de crème Chantilly en bombe.

LES CONSEILS DE CYRIL

→ Vous pouvez faire votre propre crème Chantilly mais comme il s'agit d'un dessert facile et rapide, inutile de se compliquer la tâche... → Pour ne pas salir les bords du verre, prenez-en le moins possible dans la cuillère et déposez le contenu au centre du verre.

10 Pour la touche finale, ajoutez quelques framboises et une feuille de menthe. Réservez au réfrigérateur.

LES CONSEILS DE CYRIL

→ Pour la décoration, vous pouvez remplacer les framboises par un autre fruit. Laissez libre cours à votre imagination…

POIRES CARAMÉLISÉES, MOUSSE AU CHOCOLAT NOIR, RIZ SOUFFLÉ CROUSTILLANT

PRÉPARATION 20 MINUTES

Pour 4 personnes | Coût : € | Difficulté : ★

Ingrédients

Poires caramélisées et riz :

2 poires william
140 g de sucre
140 g de crème liquide
2 pincées de cannelle
100 g de riz soufflé
1 bouquet de menthe (pour la décoration)

Mousse au chocolat noir :

300 g de chocolat noir (70 % de cacao)
400 g de crème fleurette très froide
40 g de sucre
4 jaunes d'œufs
2 cuil. à soupe d'huile d'arachide

CHOISIR LES BONS PRODUITS

- *Palpez les fruits avant de les acheter. Ils doivent être souples mais fermes.*
- *Prenez des fruits de saison. Vous pouvez, par exemple, remplacer les poires par des pommes ou des fraises.*

1 Épluchez les poires au couteau ou avec un économe et coupez-les ensuite en deux.

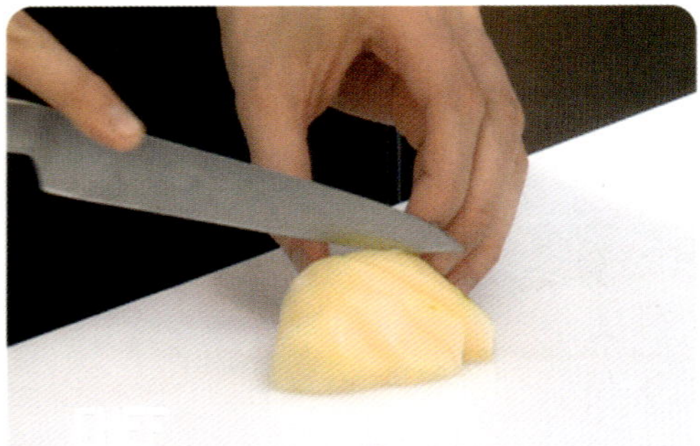

2 Enlevez le cœur des poires, coupez-les en tranches puis en gros cubes. Ajoutez la cannelle.

3 Préparez le caramel : Dans une casserole, mettez le sucre et un fond d'eau à feu doux.

4 Quand le caramel se forme, retirez-le du feu et ajoutez la crème liquide.

LES CONSEILS DE CYRIL

→ Taillez la poire en gros cubes afin qu'elle conserve tout son jus. → Mettre la cannelle avant la cuisson permet aux poires de mieux imprégner son goût. → Remuez le caramel au départ et n'y touchez plus jusqu'à ce qu'il prenne ! Autrement, l'incorporation d'air va le faire se cristalliser.

5 Versez les poires dans la casserole, tournez, laissez-les se colorer, rendre leur jus et cuire légèrement.

6 Préparez le sirop : dans une casserole, faites cuire le sucre dans un peu d'eau jusqu'à ébullition.

7 Préparez le sabayon : montez deux jaunes d'œufs au fouet ou au batteur (3-4 min).

8 Versez le sirop tout doucement sur le sabayon tout en continuant à fouetter.

LES CONSEILS DE CYRIL

····> Plus le récipient est petit, plus le jaune d'œuf va s'émulsionner et monter facilement.

9 Continuez à battre jusqu'à ce que le mélange refroidisse et que la crème soit légère.

10 Faites fondre le chocolat au micro-ondes et ajoutez-y ensuite 1 cuil. à soupe d'huile d'arachide.

11 Tout en tournant, incorporez doucement le chocolat au sabayon.

12 Fouettez la crème liquide puis incorporez-la très délicatement au chocolat avec une spatule.

LES CONSEILS DE CYRIL

- *Si vous n'avez pas de micro-ondes, faites fondre le chocolat au bain-marie.*
- *L'huile d'arachide va donner au chocolat un aspect souple et brillant.*

13 Terminez en fouettant très énergiquement la mousse au chocolat. Raclez les bords et réservez la mousse au réfrigérateur.

LES CONSEILS DE CYRIL

→ *Selon que vous aimez la mousse au chocolat forte ou pas, choisissez un chocolat en teneur plus ou moins importante en cacao.*

14 Mélangez le riz soufflé aux poires caramélisées.

15 Dans un grand verre, disposez 2 cuil. à soupe de mousse au chocolat.

16 Ajoutez 1 cuil. à soupe de poires caramélisées avec le riz soufflé...

17 ... et enfin une nouvelle couche de chocolat en lissant le dessus avec le dos de la cuillère.

LES CONSEILS DE CYRIL

→ *N'introduisez le riz soufflé qu'au moment du dressage du plat pour qu'il ne ramollisse pas.*

18 Terminez en ajoutant quelques poires sur la mousse au chocolat et réservez au réfrigérateur.

LES CONSEILS DE CYRIL

→ Vous pouvez terminer la décoration avec une feuille de menthe.
→ Il est préférable de réaliser cette recette le matin pour le soir même.

SOUPE DE MELON AU VIN ÉPICÉ
ACCOMPAGNÉE D'UN BISCUIT AU PAVOT ET D'UN SORBET CITRON

Préparation 25 minutes

Pour **4 personnes** | Coût : € | Difficulté : ★

Ingrédients

Soupe de melon :

2 melons
50 cl de vin rouge (de votre choix)
250 g de sucre
2 couronnes d'anis étoilé ou de badiane
2 bâtons de cannelle

Biscuit au pavot :

150 g de farine
150 g de sucre
10 cl de lait
80 g de beurre fondu
2 blancs d'œufs
2 cuil. à soupe de graines de pavot
2 boules de sorbet citron
2 feuilles de menthe (pour la décoration)

CHOISIR LES BONS PRODUITS

→ *On peut reconnaître un bon melon à sa queue qui se détache, et lorsqu'il est bien lourd. Les petites fentes qui apparaissent sur sa peau sont un signe de maturité.*

1 Dans une casserole, versez le vin rouge, le sucre, l'anis étoilé et la cannelle.

2 Portez à ébullition. Laissez frémir 5 min, puis réservez au réfrigérateur.

3 Réservez un blanc d'œuf et faites fondre le beurre.

4 Dans un saladier, mélangez la farine et le sucre, versez délicatement le lait.

LES CONSEILS DE CYRIL

→ Cassez le bâton de cannelle afin qu'il dégage tous ses arômes.

5 Mélangez avec le blanc d'œuf jusqu'à l'obtention d'une pâte homogène et ajoutez les graines de pavot.

6 Ajoutez maintenant le beurre fondu à la pâte, mélangez puis réservez au réfrigérateur.

7 Beurrez la plaque du four et saupoudrez-la de farine.

8 Faites un cornet de papier sulfurisé et remplissez-le à moitié de pâte. Coupez le bout du cornet.

LES CONSEILS DE CYRIL

→ *Le pavot va donner un petit goût grillé et donner un peu de craquant au biscuit.*

9 Appuyez sur le cornet pour tracer 4 rubans de pâte sur toute la longueur de votre plaque.

10 Avec le dos d'une cuillère mouillée, lissez les bandes de pâte pour obtenir une fine épaisseur.

11 Dans un four préchauffé à 220 °C (th. 7), enfournez pendant 5min (jusqu'à coloration).

12 Coupez le melon en deux et ôtez tous les pépins.

LES CONSEILS DE CYRIL

---> *Si vous n'avez pas de papier sulfurisé, vous pouvez faire les rubans avec une cuillère et en « tirant » la pâte avec l'arête de la cuillère.*

---> *Faites en sorte que les rubans de pâte soient d'une épaisseur égale sur toute leur longueur.*

13 Avec une cuillère parisienne, faites des petites boules de melon. Réservez au frais.

14 Sortez le biscuit du four et décollez-le avec une spatule. Tant qu'il est chaud...

15 ... façonnez un cercle et posez-le dans un moule pour qu'il conserve sa forme en refroidissant.

16 Déposez les billes de melon au fond d'une assiette creuse.

LES CONSEILS DE CYRIL

→ *Si vous n'avez pas de cuillère parisienne, coupez le melon en petits dés réguliers.*

17 Pour la présentation, faites en sorte que les boules de melon ne soient pas les unes sur les autres. Versez le vin épicé dessus sans recouvrir totalement les boules.

LES CONSEILS DE CYRIL

→ *Les différents ingrédients qui constituent ce plat peuvent être préparés à l'avance, mais attendez le moment de servir pour les présenter dans une assiette.*

18 Déposez le biscuit debout, sur le melon. Faites une quenelle de sorbet citron avec une cuillère à soupe et déposez-la sur la base du biscuit. Terminez par une feuille de menthe sur le sorbet.

LES CONSEILS DE CYRIL

→ Vous pouvez bien entendu remplacer le sorbet citron par un sorbet au parfum de votre choix...

TARTELETTES AUX FRAISES, CRÈME PÂTISSIÈRE AU BASILIC

PRÉPARATION 40 MINUTES

Pour 4 personnes | Coût : € | Difficulté : ★

Ingrédients

La crème pâtissière :

170 g de lait
26 g de sucre
4 jaunes d'œuf
20 g de Maïzena
20 g de crème liquide
1 bouquet de basilic

Les tartelettes :

200 g de fraises
1 rouleau de pâte sablée ou brisée
Beurre pour les moules

CHOISIR LES BONS PRODUITS

→ Selon la saison, vous pouvez choisir des fraises gariguettes. Ce sont les plus chères, mais aussi les meilleures et les plus odorantes... Elles doivent être longues, fines et brillantes (signe qu'elles sont sucrées).

1 Préchauffez le four à 180 °C (th. 6) et déroulez votre pâte.

2 À l'aide d'un bol, façonnez deux disques en coupant la pâte tout autour.

3 Beurrez les moules et déposez-y la pâte en la pressant délicatement contre les bords.

4 Rabattez les rebords de la pâte et, à l'aide d'un rouleau à pâtisserie, retirez l'excédant de pâte.

LES CONSEILS DE CYRIL

→ Si vous choisissez de faire votre propre pâte, préparez-la la veille et laissez-la reposer. Préférez une pâte sablée, elle se mariera mieux avec les fraises. → Utilisez un bol d'un diamètre supérieur à celui des moules à tartelettes (vous pouvez aussi préférer réaliser une grande tarte).

5 Remontez un peu les bords et piquez le fond de la pâte avec une fourchette.

6 Enfournez les tartes à 180 °C (th. 6) pendant 10-15 min.

7 Préparez la crème : faites chauffer le lait et laissez-y infuser deux feuilles de basilic coupées en morceaux.

8 Fouettez deux jaunes d'œufs avec le sucre.

LES CONSEILS DE CYRIL

- *On pique la tarte pour qu'elle ne gonfle pas pendant la cuisson.*
- *Pensez à nettoyer les feuilles de basilic avant de les plonger dans le lait.*

9 Ajoutez la Maïzena et mélangez.

10 Lorsque le lait frémit, versez-le dans le mélange tout en retenant le basilic que vous jetterez.

11 Mélangez bien le lait avec la préparation.

12 Versez le tout dans une casserole.

LES CONSEILS DE CYRIL

---> *La farine de maïs (Maïzena) va permettre à la pâte d'épaissir. Avec seulement les jaunes d'œufs, le sucre et le lait, on obtiendrait une crème anglaise.*

13 Faites cuire doucement la crème pâtissière en tournant en permanence.

14 Elle est cuite lorsqu'elle a épaissi. Retirez-la rapidement de la casserole pour arrêter sa cuisson.

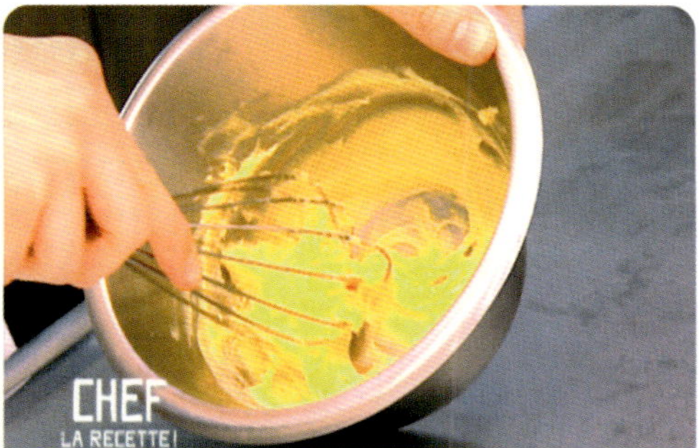

15 Continuez à fouetter la crème pâtissière dans un saladier pour la lisser. Mettez-la au frais.

16 Retirez les fonds de tarte légèrement dorés du four et démoulez-les délicatement.

LES CONSEILS DE CYRIL

→ La cuisson de la crème pâtissière est une opération délicate car il faut constamment surveiller sa cuisson et bien la fouetter pour qu'elle n'accroche pas.

17 Sortez la crème pâtissière du réfrigérateur et fouettez-la un peu pour la détendre.

18 Ajoutez de la crème liquide pour la rendre plus lisse, plus onctueuse, et fouettez.

19 Déposez la crème pâtissière dans les fonds de tarte et lissez avec le dos de la cuillère.

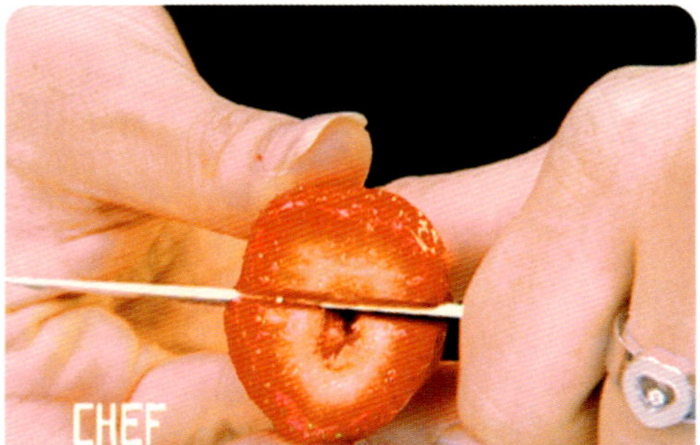

20 Équeutez les fraises puis coupez-les en deux.

LES CONSEILS DE CYRIL

→ *Sachez qu'en lavant les fraises, elles perdent un peu de leur goût. Ne le faites que pour les fraises qui seraient sales ou traitées avec des pesticides.*

21 Disposez les fraises ouvertes, en commençant par les extérieurs jusque vers le centre de la tarte. Laissez les tartelettes au réfrigérateur.

LES CONSEILS DE CYRIL

→ Vous pouvez aussi disposer les fraises debout, en partant cette fois-ci du centre des tartes vers les extérieurs. Dans les pâtisseries, les fraises sont souvent recouvertes d'un glaçage pour leur conservation.

TIRAMISU COCO AUX PARFUMS EXOTIQUES

PRÉPARATION 40 MINUTES

Pour 4 personnes | Coût : € | Difficulté : ★

Ingrédients

Tiramisu :

1 mangue
2 bananes
2 petits ananas (victoria si possible)
2 barquettes de framboises
20 g de sucre
12 biscuits à la cuillère
60 cl de cocktail de jus de fruits exotiques

La crème mascarpone-coco :

4 jaunes d'œufs
50 g de sucre
200 g de mascarpone
50 g de lait de coco
50 g de poudre de noix de coco
20 cl de crème liquide

CHOISIR LES BONS PRODUITS

→ La mangue doit être souple et ferme et le doigt doit légèrement s'enfoncer quand on la tâte. → Choisissez des bananes pas trop vertes et un peu tigrées. → On reconnaît un bon ananas quand, lorsqu'on tire sur une de ses feuilles, elle se retire toute seule.

1 Coupez les feuilles et la queue de l'ananas puis découpez la peau.

2 Tranchez l'ananas en deux puis en quatre et retirez le « cœur » des quatre morceaux.

3 Coupez la peau de la mangue comme pour l'ananas, par bandes et le long du fruit.

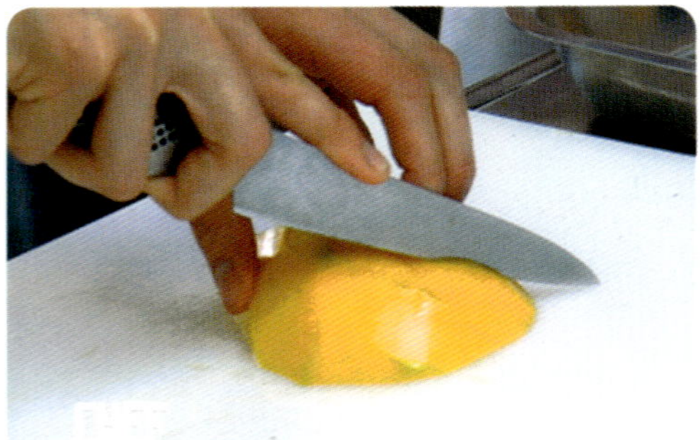

4 Coupez la mangue en deux puis en tranches de 1/2 cm.

LES CONSEILS DE CYRIL

→ Tailler les fruits prend du temps mais lorsqu'ils sont coupés en petits cubes réguliers, ils sont beaucoup plus agréables à manger.

5 Taillez ensuite les tranches de mangue en lamelles (comme des frites) et enfin en petits dés.

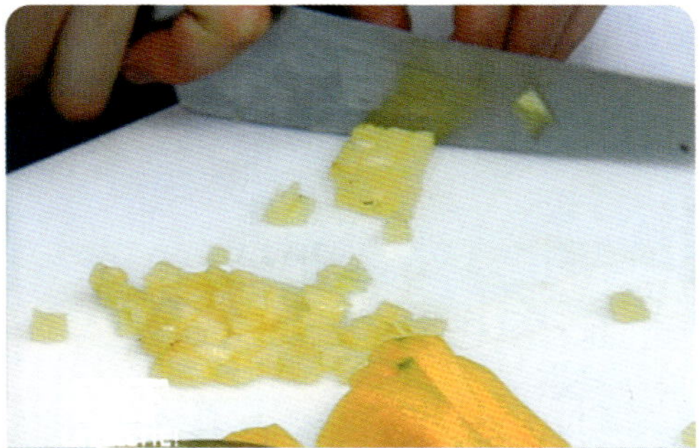

6 Taillez l'ananas comme la mangue, en petits dés.

7 Faites la même chose avec la banane. Coupez-la en deux, puis en quatre, en long, puis en dés.

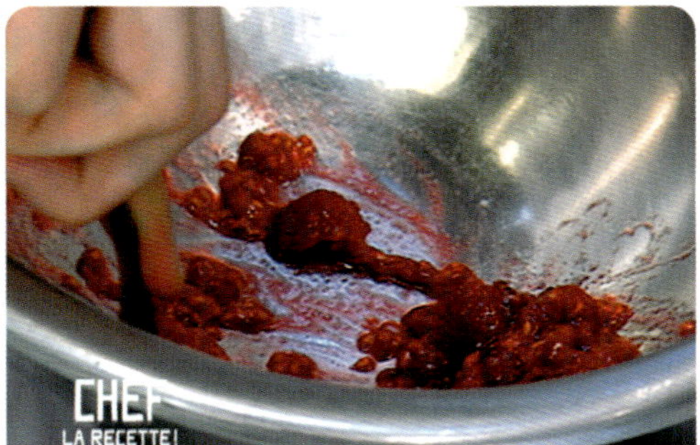

8 Écrasez les framboises et le sucre avec une fourchette, jusqu'à l'obtention d'un coulis.

LES CONSEILS DE CYRIL

→ Pensez à garder quelques framboises pour la décoration finale du tiramisu. Une feuille de menthe ou d'autres fruits rouges pourront aussi servir à la décoration.

9 Mélangez les cubes de l'ananas, de la banane et de la mangue.

10 Battez au fouet deux jaunes d'œufs avec le sucre jusqu'à ce que le mélange blanchisse.

11 Avec le fouet, battez le mascarpone avec la poudre de noix de coco puis incorporez le lait de coco.

12 Mélangez doucement les deux préparations (jaunes d'œufs battus et mascarpone).

LES CONSEILS DE CYRIL

→ *Battre une préparation au fouet permet d'obtenir un mélange plus homogène.*

13 Avec un fouet, montez la crème liquide en chantilly.

14 Incorporez la crème ainsi fouettée petit à petit et délicatement à la crème mascarpone-coco.

15 Versez le jus de fruits exotiques dans un grand plat.

16 Trempez les biscuits dans le jus pour les imbiber, en les retournant.

LES CONSEILS DE CYRIL

→ *Pour que la crème monte plus facilement, il faut qu'elle soit bien fraîche. Si elle ne sort pas du réfrigérateur, vous pouvez placer sous votre saladier un second saladier rempli de glaçons.*

17 Égouttez les biscuits dans une petite assiette.

18 Versez la préparation aux framboises, dans le fond d'un grand verre.

19 Superposez une couche de crème…

20 … puis les biscuits coupés en deux, les cubes de fruits et une nouvelle couche de crème.

LES CONSEILS DE CYRIL

→ Si vous le désirez, vous pouvez ajouter une autre couche de biscuits.

→ Les couper en deux évite d'avoir trop de difficultés à les trancher…

21 Avec le dos de la cuillère, lissez la crème au ras du verre. Posez ensuite quelques framboises dessus et placez le tout au réfrigérateur jusqu'au moment de servir.

LES CONSEILS DE CYRIL

→ *Choisissez un verre suffisamment large pour que l'on puisse y plonger la cuillère sans difficultés et bien entendu transparent pour profiter des couleurs.*

Crédits photographiques :
Toutes les photos de plats sont de Philippe Vaurès-Santamaria,
sauf les pages 24, 82 et 120 dont les photos sont de Mickaël Roulier.
Pour toutes les autres photos (issues de l'émission Chef la recette) : © Sébastien Zibi.

FREMANTLEMEDIA

Chef la Recette. Produit par FremantleMedia France S.A.S.
Licence par FremantleMedia Licensing Worldwide.
www.fremantlemedia.com

Ouvrage proposé et réalisé par E-NOVAMEDIA

Direction : Stephen Bateman (Hachette Pratique) / Caroline Facy (M6 Éditions)
Direction éditoriale : Pierre-Jean Furet
Édition : Christine Martin / Stéphanie Pelleray assistée de Jonathan Cassaigne (M6 Éditions)
Conception intérieure et réalisation : Laurent Gaulet
Couverture : Nicole Dassonville
Fabrication : Amélie Latsch
Responsable partenariats : Sophie Augereau au 01 43 92 36 82

Dépôt légal: **Octobre** 2007
ISBN: 978-2-01-237185-9
23-85-7185-06-4
Impression: Cayfosa Quebecor, Barcelone, Espagne